T5-AFG-147

Autores del programa

Peter Afflerbach
Camille Blachowicz
Candy Dawson Boyd
Elena Izquierdo
Connie Juel
Edward Kame'enui
Donald Leu
Jeanne R. Paratore
P. David Pearson
Sam Sebesta
Deborah Simmons
Alfred Tatum
Sharon Vaughn
Susan Watts Taffe
Karen Kring Wixson

Autores del programa en español

Kathy C. Escamilla
Antonio Fierro
Mary Esther Huerta
Elena Izquierdo

Glenview, Illinois • Boston, Massachusetts • Chandler, Arizona
Upper Saddle River, New Jersey

Dedicamos Calle de la Lectura a
Peter Jovanovich.

Su sabiduría, valentía
y pasión por la educación
son una inspiración para todos.

Acerca del ilustrador de la cubierta
A Rob Hefferan le gusta rememorar los tiempos sencillos de su niñez en Cheshire, cuando su mayor preocupación era si comer palitos de pescado o Alfabeti Spagueti con el té. Las caras, los colores y las figuras de esa época son una inspiración siempre presente en su obra artística.

Acknowlegements appear on page 144, which constitute an extension of this copyright page.

Copyright © 2011 by Pearson Education, Inc., or its affiliates. All Rights Reserved. Printed in the United States of America. This publication is protected by copyright, and permission should be obtained from the publisher prior to any prohibited reproduction, storage in a retrieval system, or transmission in any form or by any means, electronic, mechanical, photocopying, recording, or likewise. For information regarding permissions, write to Pearson Curriculum Group Rights & Permissions, One Lake Street, Upper Saddle River, New Jersey 07458.

Pearson, Scott Foresman, and Pearson Scott Foresman are trademarks, in the U.S. and/or other countries, of Pearson Education, Inc., or its affiliates.

ISBN-13: 978-0-328-49236-7
ISBN-10: 0-328-49236-1
2 3 4 5 6 7 8 9 10 V042 14 13 12 11 10
CC1

Querido lector de Texas:

Ahora que conoces la Calle de la Lectura, ¿te gustaría conocer a George Washington? ¿Sabes quién es? Si no lo sabes, pronto lo vas a aprender. Va a ser divertido.

George Washington, una pequeña panda y otros personajes nos están esperando.

Como siempre, debes traer todas esas destrezas especiales que has aprendido para leer, escribir y pensar.

¿Preparado? ¡Empecemos!

Cordialmente,

Los autores

¿Cómo nos afectan los cambios?

Semana 1

TEXAS
Calle de la Lectura en línea
www.TexasCalledelaLectura.com

Semana 2

Unidad 3: Contenido

Semana 3

Semana 4

Semana 5

Semana 6

Don Leu
Experto en Internet

La naturaleza de la lectura y el aprendizaje cambia ante nuestros propios ojos. La Internet y otras tecnologías crean nuevas oportunidades, nuevas soluciones y nuevos conocimientos. Para trabajar en línea hacen falta nuevas destrezas de comprensión de lectura. Estas destrezas son cada vez más importantes para nuestros estudiantes y nuestra sociedad.

Nosotros, los miembros del equipo de Calle de la Lectura, estamos aquí para ayudarte en este nuevo y emocionante viaje.

¡Míralo!

- **Video de la pregunta principal**
- **Video de Hablar del concepto**
- **Animaciones de ¡Imagínalo!**
- **Libritos electrónicos**

¡Escúchalo!

- **Animaciones de *Cantemos juntos***
- **Selecciones electrónicas**
- **GramatiRitmos**

Tino y Tina comieron peras.

Busca en línea
www.TexasCalledelaLectura.com
File Edit View Favorites Tools Help
http://www.TexasCalledelaLectura.com
¡Hazlo!
Ordenacuentos
Libritos electrónicos
Fichas electrónicas de letras
o s c m s

Unidad 3

Cambios a nuestro alrededor

www.TexasCalledelaLectura.com
- Video de la Pregunta principal
- Selecciones electrónicas
- Animaciones de ¡Imagínalo!
- Ordenacuentos

¿Cómo nos afectan los cambios?

TEKS
K.2.B.1 Identificar las sílabas en las palabras habladas. **K.2.G.1** Aislar el sonido silábico inicial en las palabras habladas.

Escuchemos

Leamos juntos

Sílabas

- ● Di: "café". Da una palmada por cada sílaba que oigas. ¿Cuántas palmadas diste?
- ■ Busca la cuna. Di: "cuna". ¿Con qué sílaba empieza *cuna*?
- ▲ Di: "capa", "casa". ¿Con qué sílaba empiezan estas palabras?
- ★ Busca la muñeca. Di: "muñeca". ¿Con qué sílaba termina *muñeca*?

CALLE DE LA LECTURA EN LÍNEA
VIDEO DE LA PREGUNTA PRINCIPAL
www.TexasCalledelaLectura.com

TEKS

★ Decir en qué se parecen o en qué se diferencian hechos, ideas, personajes, ambientes o sucesos.

¡Imagínalo!

Comparar y contrastar

CALLE DE LA LECTURA EN LÍNEA
ANIMACIONES DE ¡IMAGÍNALO!
www.TexasCalledelaLectura.com

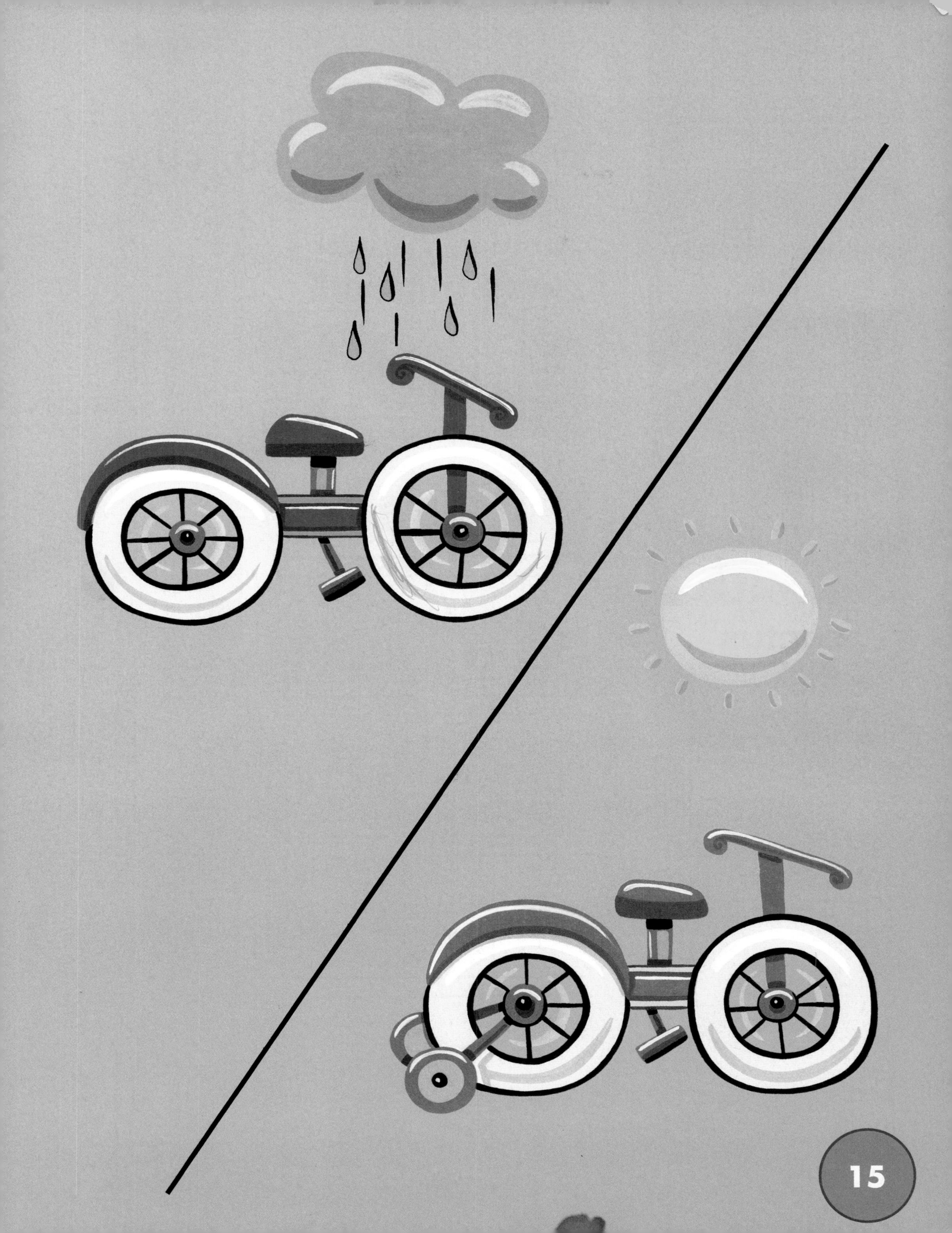

TEKS
K.3.B.1 Decodificar sílabas. **K.3.C.3** Usar el conocimiento fonológico para emparejar sonidos con sílabas, incluyendo consonantes fuertes. **K.3.H** Utilizar el conocimiento de las relaciones entre las consonantes y las vocales para decodificar sílabas y palabras de un texto y las que no dependan de un contenido. **También, K.3.C.1, K.5.B, K.18.B**

CALLE DE LA LECTURA EN LÍNEA
TARJETAS DEL ALFABETO
www.TexasCalledelaLectura.com

Fonética

Sílabas *ca, co, cu*

Sonidos y sílabas que puedo combinar

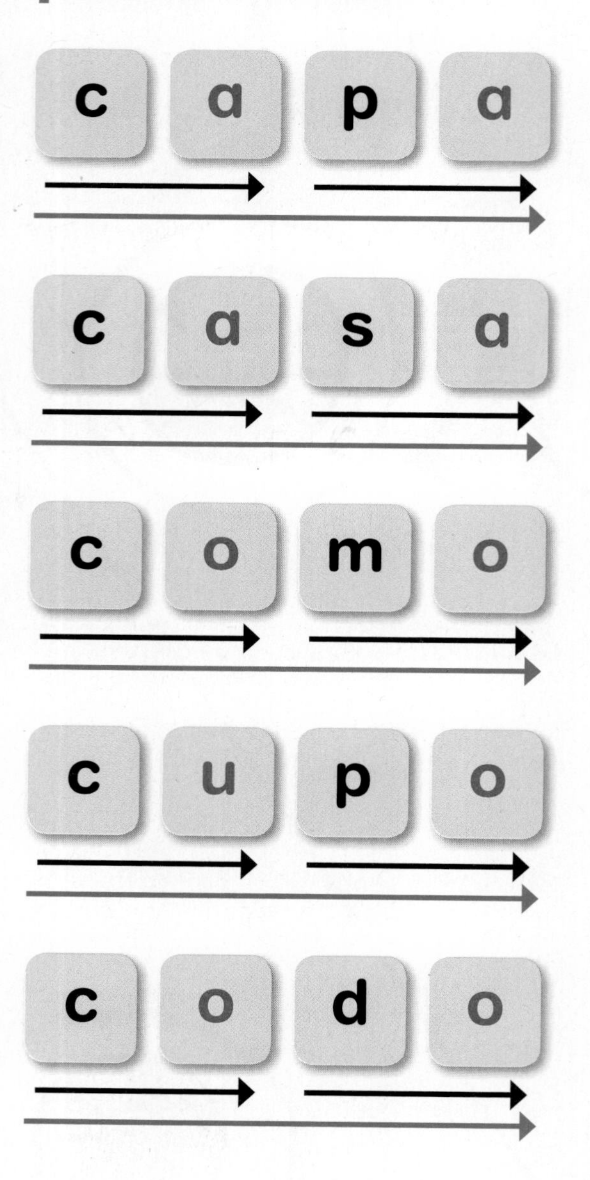

Palabras que puedo leer

me

Oraciones que puedo leer

1. Como coco en mi casa.
2. Camila me da la comida.
3. La cuna es la cama de la nena.

TEKS
K.3.C.3 Usar el conocimiento fonológico para emparejar sonidos con sílabas, incluyendo consonantes fuertes. **K.3.H.3** Utilizar el conocimiento de las relaciones entre las consonantes y las vocales para decodificar palabras de un texto. **K.5.B** Familiarizarse con el vocabulario adecuado al nivel del grado, incluyendo palabras de contenido y funcionales. **K.5.E.1.** Utilizar un diccionario con ilustraciones para encontrar palabras.

Fonética

¡Ya puedo leer!

Librito de fonética

- **Sílabas *ca, co, cu***
  - cama
  - Camilo
  - casa
  - cuna
  - saco
  - toca
- **Palabras de uso frecuente**
  - el
  - es
  - mami
  - me
  - mira
  - yo

▲ Lee el cuento.

★ Pida a los niños utilizar un diccionario con ilustraciones y el glosario del libro para encontrar las palabras casa y mami.

CALLE DE LA LECTURA EN LÍNEA
LIBRITOS ELECTRÓNICOS DE FONÉTICA
www.TexasCalledelaLectura.com

Nina y Camilo

por Sonia Otamendi

Nina es la nena y el nene es Camilo.

Catalina es la mamá.

Mami me saca el saco.

Nina mira a mami y le toca el pelo.

Mami la mima
y la pone en la cuna.

Yo estoy en la cama.
Mami me mima.

Es la casa de Nina,
Camilo y Catalina.

TEKS
K.10.B.1 Volver a contar los hechos en un texto, después de escucharlo o leerlo. ★ Decir en qué se parecen o en qué se diferencian hechos, ideas, personajes, ambientes o sucesos.

¡Imagínalo! Volver a contar

Superlibro

1
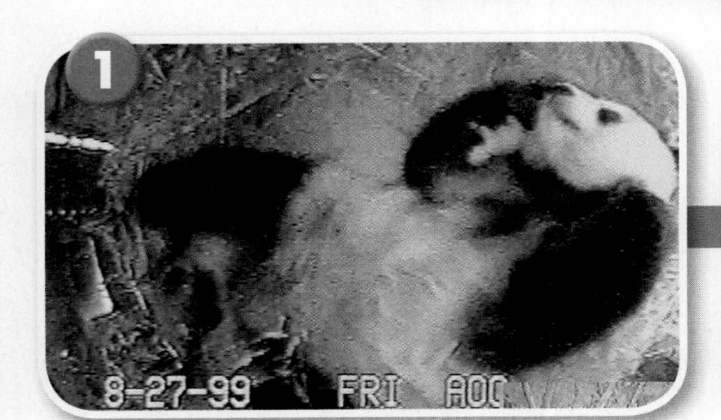

2

3

4

5

6

CALLE DE LA LECTURA EN LÍNEA
ORDENACUENTOS
www.TexasCalledelaLectura.com

Piensa, habla y escribe

1. ¿Cómo cambia un panda mientras crece? **El texto y el mundo**

2. ¿En qué se parecen el panda pequeño y el panda adulto? ¿En qué se diferencian?

Comparar y contrastar

3. Mira de nuevo y escribe.

TEKS
K.5.D Identificar y clasificar dibujos de objetos en categorías conceptuales.
K.22 Comentar información e ideas hablando de manera audible y clara, usando las normas del lenguaje.

¡Aprendamos!

Vocabulario

- ¿Qué es negro?
- ¿Qué es verde?
- ¿Qué es café?

Escuchar y hablar

- Imita al personaje de la selección.
- Imita al personaje que más te guste de un cuento.

Vocabulario

Colores

negro

verde

café

Escuchar y hablar

Responder a la literatura
Teatro

¡Habla con claridad!

TEKS

K.7.A Responder al ritmo y a la rima que hay en la poesía, identificando un golpecito regular y las similitudes en los sonidos de las palabras. **K.CL1.B.2** Responder a preguntas sobre un texto. **K.CL1.F** Hacer conexiones con las propias experiencias, con ideas de otros textos, con la comunidad más grande, y comentar evidencia del texto.

Sol, solecito...

¡Practícalo!

Poemas

- Escucha los dos poemas.
- Recita cada uno y muévete al ritmo.
- ¿Qué palabras riman en el primer poema? ¿Qué palabras riman en el segundo poema?
- ¿Qué tienen en común los dos poemas?
- En el primer poema, ¿qué contesta el sol cuando le piden que salga?

Caracolito al sol

TEKS
K.2.G.1 Aislar el sonido silábico inicial en las palabras habladas.

Conciencia fonológica

Escuchemos

Leamos juntos

Sílabas

- ● Busca la familia. Di: "familia". ¿Con qué sílaba empieza *familia*?
- ■ Di: "foca", "foto". ¿Con qué sílaba empiezan estas palabras?
- ▲ Busca el sofá. Di: "sofá". ¿Con qué sílaba termina *sofá*?
- ★ Busca una cosa de comer que empiece con la sílaba *fi*.

CALLE DE LA LECTURA EN LÍNEA
VIDEO DE LA PREGUNTA PRINCIPAL
www.TexasCalledelaLectura.com

TEKS
K.6.A.3 Identificar los aspectos de un cuento, incluyendo los sucesos clave.
También, K.6.A.1., K.6.A.2.

Comprensión

¡Imagínalo!

Elementos literarios

Pida a los niños que identifiquen los elementos del cuento, incluyendo el ambiente y los protagonistas.
CALLE DE LA LECTURA EN LÍNEA
ANIMACIONES DE ¡IMAGÍNALO!
www.TexasCalledelaLectura.com

Personajes

Ambiente

Argumento

TEKS

K.3.B.1 Decodificar sílabas. **K.3.H** Utilizar el conocimiento de las relaciones entre las consonantes y las vocales para decodificar sílabas y palabras de un texto y las que no dependan de un contenido. **K.3.I.3** Reconocer que al omitir sílabas se forman palabras nuevas. **También K.5.B, K.18.B**

¡Imagínalo! Sonidos y sílabas

Ff

fuente

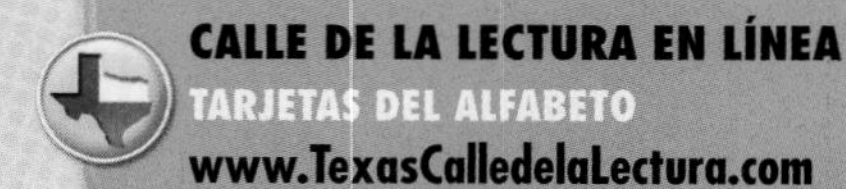

CALLE DE LA LECTURA EN LÍNEA
TARJETAS DEL ALFABETO
www.TexasCalledelaLectura.com

Fonética

Sílabas con *f*

Sonidos y sílabas que puedo combinar

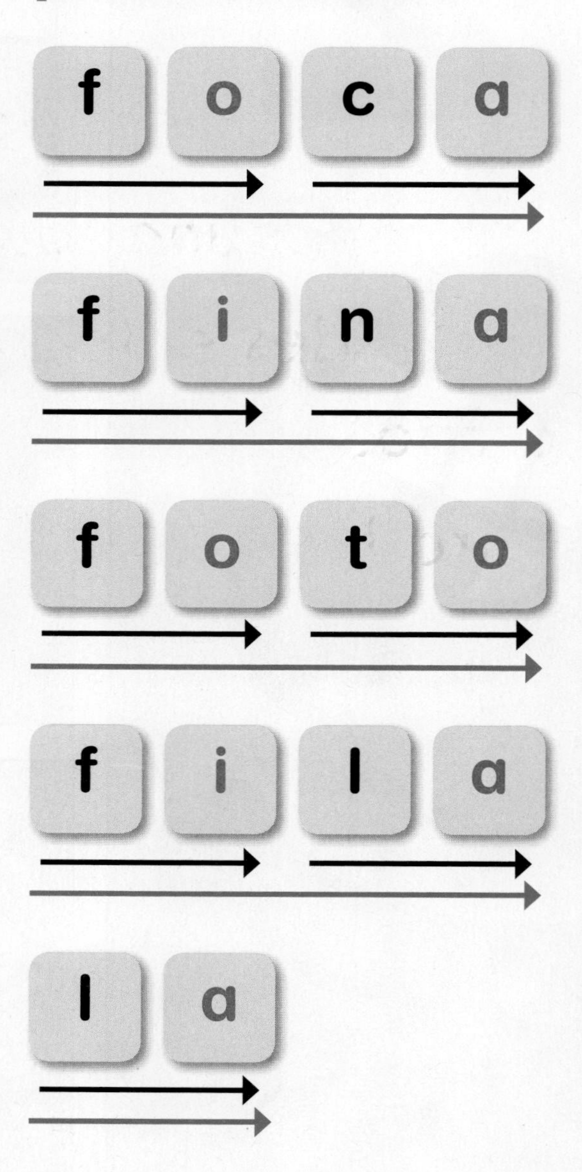

Palabras que puedo leer

no

Oraciones que puedo leer

1. ¿Te tomo una foto?
2. No le des el foco a Fito.
3. Mira la fila.

TEKS
K.3.B.1 Decodificar sílabas. **K.3.H.3** Utilizar el conocimiento de las relaciones entre las consonantes y las vocales para decodificar palabras de un texto. **K.5.B.1** Familiarizarse con el vocabulario adecuado al nivel del grado, incluyendo palabras de contenido. **K.5.B.2** Familiarizarse con el vocabulario adecuado al nivel del grado, incluyendo palabras funcionales.

Fonética

¡Ya puedo leer!

Librito de fonética

- **Sílabas con *f***
  - familia
  - fila
  - Fito
  - foca
  - focas
  - foco
  - foto
  - fotos
- **Palabras de uso frecuente**
  - el
  - es
  - mira
  - no
  - un
- Lee el cuento.

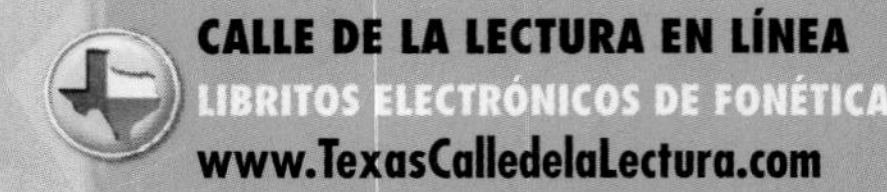

CALLE DE LA LECTURA EN LÍNEA
LIBRITOS ELECTRÓNICOS DE FONÉTICA
www.TexasCalledelaLectura.com

La foto de la foca

por Leda Schiavo

Fito mira fotos.

Una foca nada.

Una foca sale a un faro.

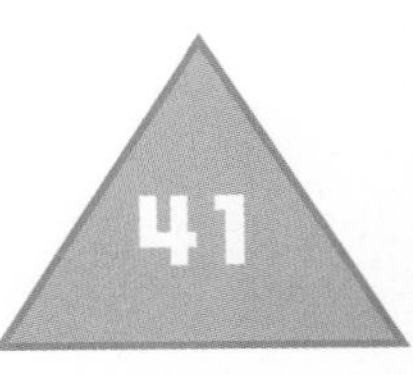

El faro tiene un foco.

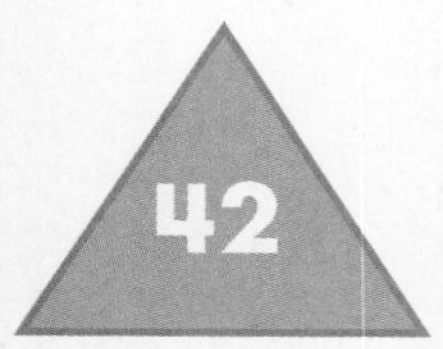

La mamá de Fito mira las fotos.

No es una foto de una fila de focas.

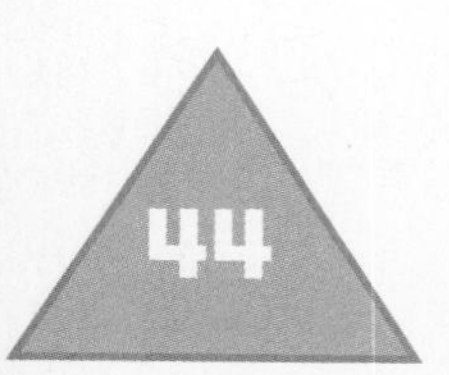

Nicole Arteaga Torres

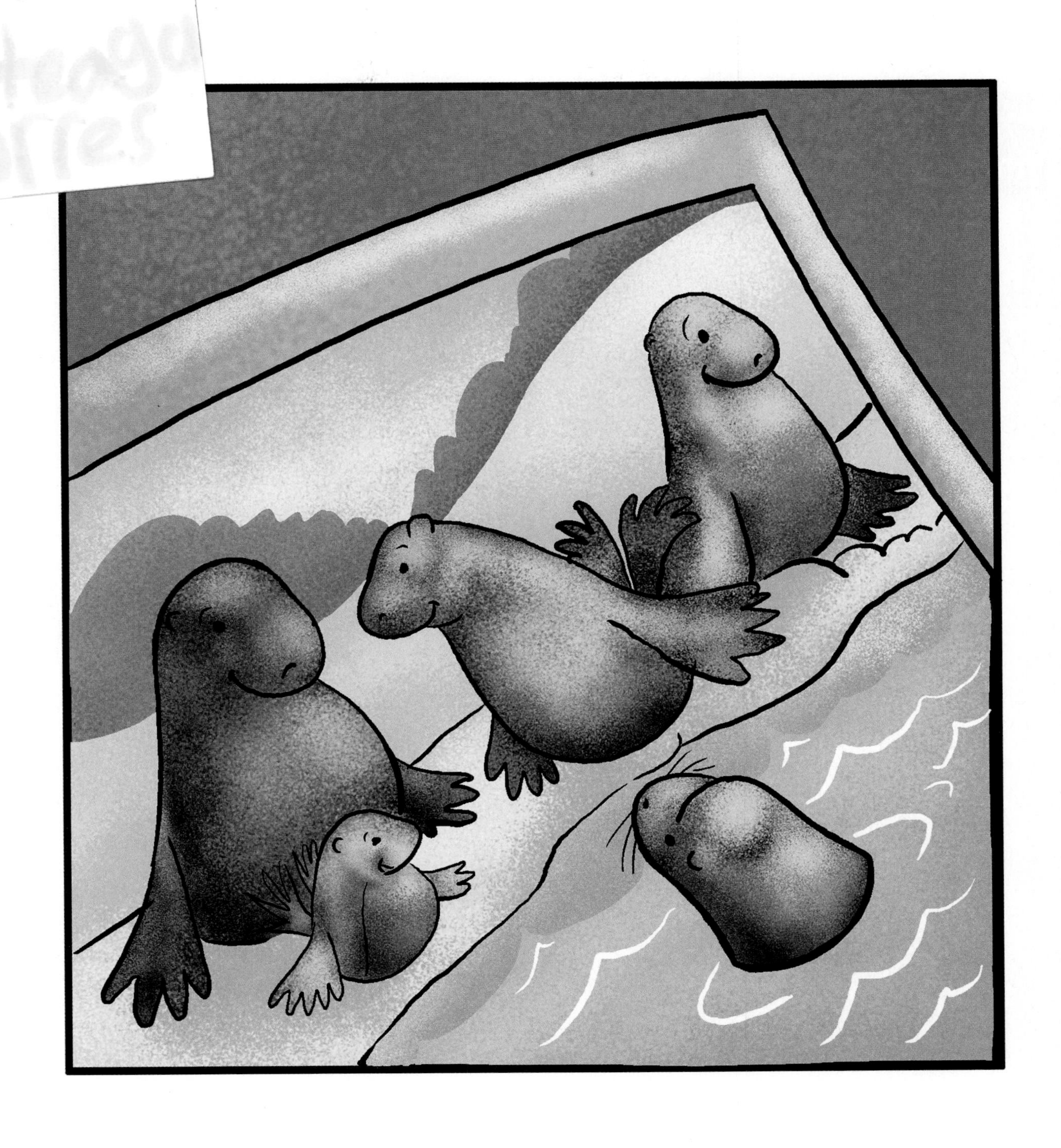

Es una familia de focas.

TEKS

K.6.A.3 Identificar los aspectos de un cuento, incluyendo los sucesos clave. **K.8.A.1** Volver a contar un suceso de un cuento leído en voz alta. **K.CL1.E.2** Representar sucesos importantes de los cuentos. **K.CL1.F.1** Hacer conexiones con las propias experiencias. **También, K.6.A.1, K.6.A.2, K.16.A.1.i.b.**

¡Imagínalo! Volver a contar

Libro

1

2

3

4

5

6

Pida a los niños que identifiquen los aspectos de este cuento, incluyendo los sucesos, el ambiente y los protagonistas. Pregunte: *¿A quiénes ven en el primer dibujo? ¿Qué hacen? ¿Dónde están?*

CALLE DE LA LECTURA EN LÍNEA
ORDENACUENTOS
www.TexasCalledelaLectura.com

Piensa, habla y escribe

1. ¿Cómo te sentiste tú el primer día de escuela? **El texto y tú**

2.

Principio	
Medio	
Final	

Escoge una parte importante del cuento. Represéntala con compañeros.

Elementos literarios: Argumento

3. Mira de nuevo y escribe.

TEKS
K.5.A Identificar y usar palabras que nombren acciones. **K.21.B.1** Seguir instrucciones orales que incluyan una secuencia corta de acciones relacionadas. **K.22** Comentar información e ideas hablando de manera audible y clara, usando las normas del lenguaje.

¡Aprendamos!

Vocabulario

- Habla de las ilustraciones.
- ¿Qué acciones haces tú?

Escuchar y hablar

- Muestra cómo hacer algo.
- Di cómo lo haces.
- Habla en oraciones completas.

Vocabulario

Acciones

caminar

correr

volar

nadar

Escuchar y hablar

Secuencia

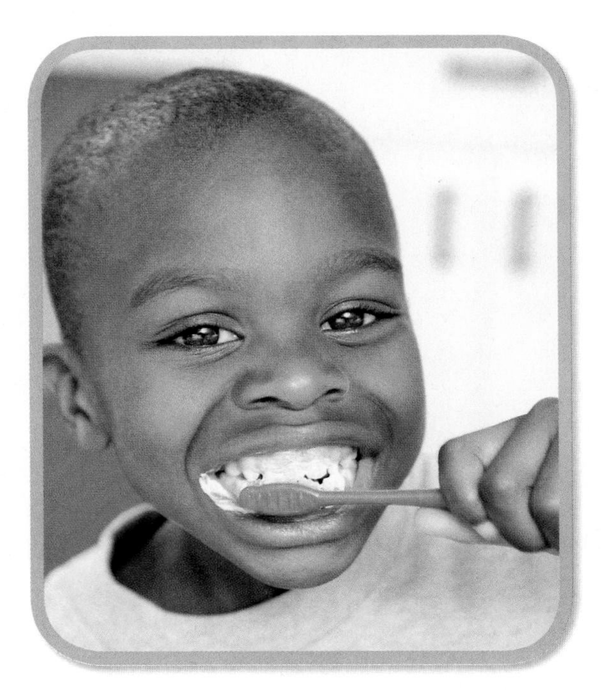

¡Habla con claridad!

TEKS

K.6.A Identificar los aspectos de un cuento, incluyendo el ambiente, los protagonistas y los sucesos clave. **K.6.D.1** Reconocer frases recurrentes en cuentos de hadas tradicionales de diferentes culturas. **K.6.D.4** Reconocer personajes recurrentes en cuentos de hadas tradicionales de diferentes culturas. **K.8.B.1** Describir los personajes de un cuento.

Rumpelstiltskin

¡Practícalo!

Cuento de hadas

- ● Escucha el cuento de hadas.
- ■ ¿Qué te dicen sobre el cuento las palabras *Había una vez*?
- ▲ ¿Dónde y cuándo sucede el cuento?
- ★ Describe el personaje Rumpelstiltskin.
- ♥ ¿Qué sucede en grupos de tres en el cuento?

1

2

3

4

TEKS
K.2.C.1 Oralmente, producir rimas como respuesta a palabras habladas. **K.2.G.1** Aislar el sonido silábico inicial en las palabras habladas.

Conciencia fonológica

Escuchemos

Leamos juntos

Sílabas

- ● Busca el bate. Di: "bate". ¿Con qué sílaba empieza *bate*?
- ■ Busca la nube. Di: "nube". ¿Con qué sílaba termina *nube*?
- ▲ Busca tres cosas que empiecen con la sílaba *ba*.
- ★ Mira el dibujo. ¿Qué rima con *banano*?

CALLE DE LA LECTURA EN LÍNEA
VIDEO DE LA PREGUNTA PRINCIPAL
www.TexasCalledelaLectura.com

TEKS
★ Identificar qué pasa en un texto y por qué.

Comprensión

¡Imagínalo!

Causa y efecto

CALLE DE LA LECTURA EN LÍNEA
ANIMACIONES DE ¡IMAGÍNALO!
www.TexasCalledelaLectura.com

TEKS

K.3.B.1 Decodificar sílabas. **K.3.H** Utilizar el conocimiento de las relaciones entre las consonantes y las vocales para decodificar sílabas y palabras de un texto y las que no dependan de un contenido. **K.3.I.1** Reconocer que al cambiar sílabas se forman palabras nuevas. **También K.5.B, K.18.B**

Fonética

Sílabas con *b*

Sonidos y sílabas que puedo combinar

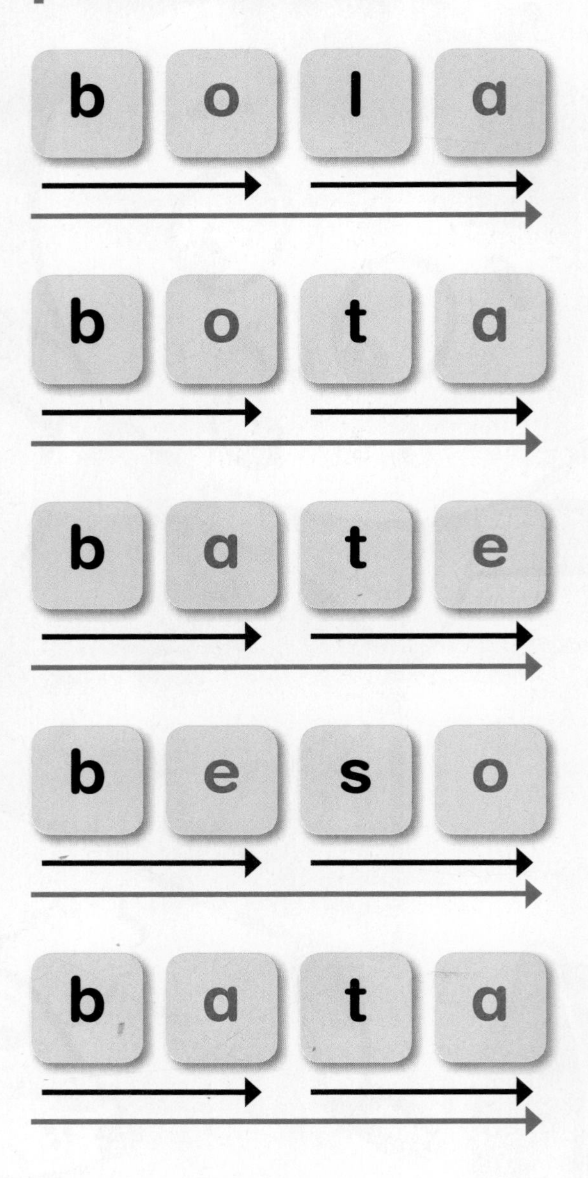

Palabras de uso frecuente

Palabras que puedo leer

al

Oraciones que puedo leer

1. Beto saca la bola.
2. El papá besa al bebé.
3. Subo al bote.

TEKS
K.3.B.1 Decodificar sílabas. **K.3.H.3** Utilizar el conocimiento de las relaciones entre las consonantes y las vocales para decodificar palabras de un texto. **K.5.B.1** Familiarizarse con el vocabulario adecuado al nivel del grado, incluyendo palabras de contenido. **K.5.B.2** Familiarizarse con el vocabulario adecuado al nivel del grado, incluyendo palabras funcionales. También, **K.5.A.4**

Librito de fonética

- **Sílabas con *b***

banana	bate
bebé	besa
beso	Beto
Bobi	bota
Fabi	nube
sabe	sube

- **Palabras de uso frecuente**

al	la
mami	me
mi	un
yo	

- Lee el cuento.
- Después de leer, cuéntale el cuento a un compañero. ¿Cuáles de estas palabras puedes usar para identificar la secuencia del cuento?: *Sube, primero, final, medio.*

CALLE DE LA LECTURA EN LÍNEA
LIBRITOS ELECTRÓNICOS DE FONÉTICA
www.TexasCalledelaLectura.com

Beso de mami

por Alejandro Zarur Osorio

Papi toma mi bate
bate, bate, bate.

Mami me pide un beso
beso, beso, beso.

Fabi se come una banana
banana, banana, banana.

Bobi se pone su bota
bota, bota, bota.

Beto besa al bebé
bebé, bebé, bebé.

Yo miro la nube que sube
sube, sube, sube.

Beso a mi mami
y su beso sabe
sabe, sabe, sabe
a coco.

TEKS

K.8.A.1 Volver a contar un suceso de un cuento leído en voz alta.
K.CL1.F.2 Hacer conexiones con las ideas de otros textos. ★ Identificar qué pasa en un texto y por qué.

Superlibro

CALLE DE LA LECTURA EN LÍNEA
ORDENACUENTOS
www.TexasCalledelaLectura.com

Piensa, habla y escribe

1. ¿En qué se parecen la celebración en este pueblo y la de *¡Estamos muy orgullosos!*? **De texto a texto**

2. ¿Qué hacen Daniel y su papá? ¿Por qué lo hacen?

Causa y efecto

3. Mira de nuevo y escribe.

TEKS
K.2.C.1 Oralmente, producir rimas como respuesta a palabras habladas. **K.5.A.3** Identificar y usar palabras que nombren posiciones. **K.23.A.2** Seguir normas conversacionales, incluyendo hablar una persona a la vez. **También, K.5.A.8.**

¡Aprendamos!

Vocabulario

- ● Habla de las ilustraciones.
- ■ Ponte la mano sobre la cabeza.
- ▲ Ponte el dedo debajo de la nariz.
- ★ Ponte la mano encima de la rodilla.
- ♥ Siéntate en un círculo alrededor de la maestra.

Escuchar y hablar

- ● Di palabras que rimen con *pan, ala* y *ojo.*
- ■ Di una rima.
- ▲ Inventa otra rima.

Vocabulario

Posición

sobre

debajo

encima

alrededor

Escuchar y hablar

Rimas

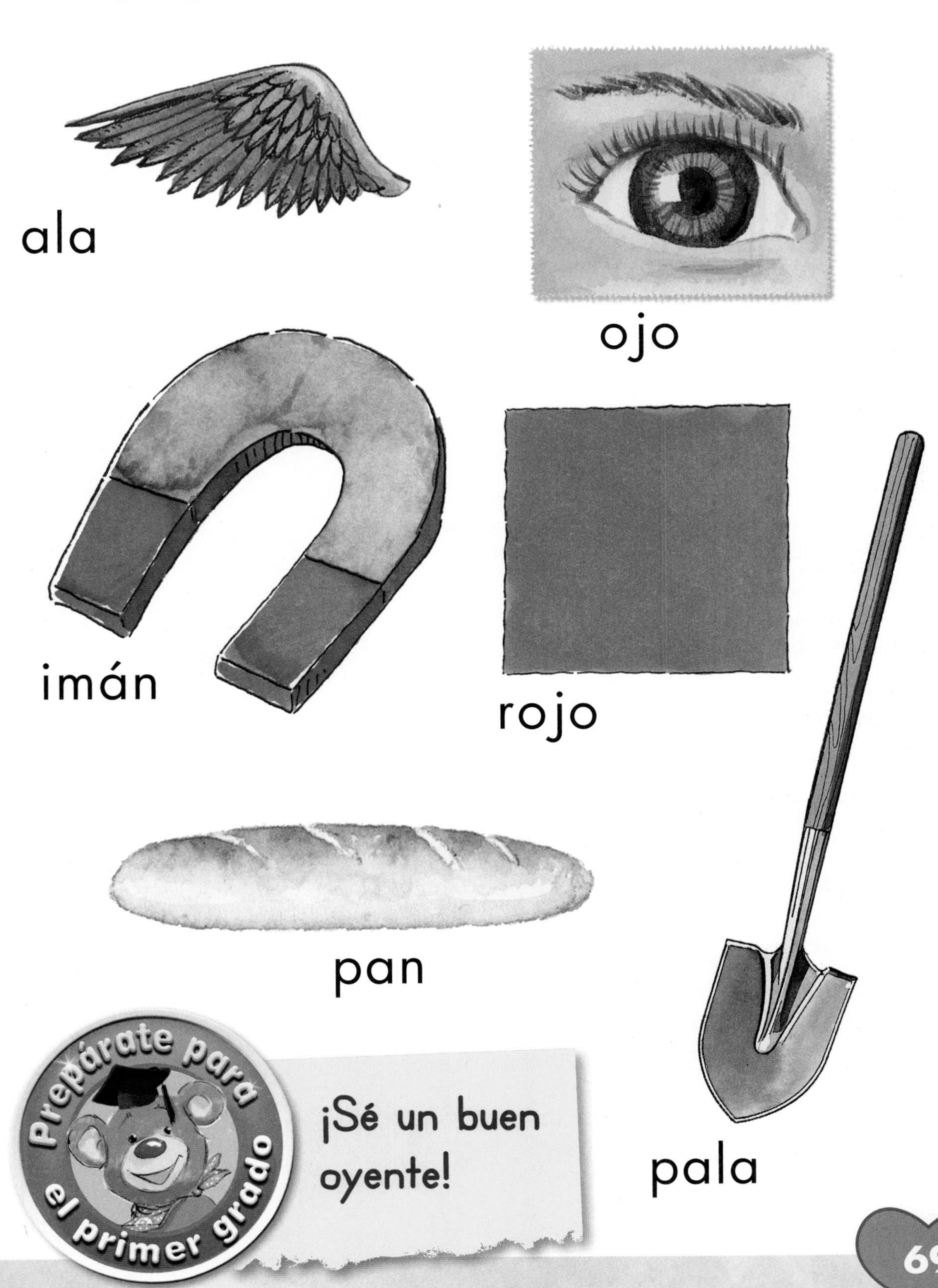

TEKS

K.4.B.1 Formular preguntas sobre textos leídos en voz alta. K.9.A.1 Identificar el tema de un texto informativo, después de escucharlo. K.11.A.1 Seguir instrucciones gráficas. K.16.A.1.i.c Comprender y utilizar los verbos (incluyendo los tiempos futuros al hablar) en el contexto de la lectura, la expresión escrita y el habla. K.CL1.B.1 Formular preguntas sobre un texto.

¿Es un popote el apio?

Paso 1

¡Practícalo!

Experimento de ciencias

- ● Escucha el experimento de ciencias.
- ■ ¿Sobre qué es el experimento?
- ▲ ¿En qué paso usamos tijeras?
- ★ ¿Qué hace que el apio cambie de color?
- ♥ ¿Qué preguntas tienes sobre el experimento? ¿Qué pasará si agregas color azul?

Paso 2

Paso 3

Paso 4

Paso 5

TEKS
K.2.C.1 Oralmente, producir rimas como respuesta a palabras habladas. **K.2.G.1** Aislar el sonido silábico inicial en las palabras habladas.

Escuchemos

Leamos juntos

Sílabas

- ● Busca la rana. Di: "rana". ¿Con qué sílaba empieza *rana*?
- ■ Di: "ratón", "rama". ¿Con qué sílaba empiezan estas palabras?
- ▲ Escucha estas palabras: *roca/ropa; risa/sopa.* ¿Qué par de palabras empiezan con la misma sílaba?
- ★ Mira el dibujo. ¿Qué rima con *rama*? ¿Qué rima con *roca*?

CALLE DE LA LECTURA EN LÍNEA
VIDEO DE LA PREGUNTA PRINCIPAL
www.TexasCalledelaLectura.com

TEKS
K.6.A.3 Identificar los elementos de un cuento, incluyendo los sucesos clave.

¡Imagínalo!

Elementos literarios

CALLE DE LA LECTURA EN LÍNEA
ANIMACIONES DE ¡IMAGÍNALO!
www.TexasCalledelaLectura.com

Personajes

Ambiente

Argumento

TEKS
K.3.B.1 Decodificar sílabas. **K.3.C.3** Usar el conocimiento fonológico para emparejar sonidos con sílabas, incluyendo consonantes fuertes. **K.3.H** Utilizar el conocimiento de las relaciones entre las consonantes y las vocales para decodificar sílabas y palabras de un texto y las que no dependan de un contenido. **También K.5.B, K.18.B, K.3.C.1.**

CALLE DE LA LECTURA EN LÍNEA
TARJETAS DEL ALFABETO
www.TexasCalledelaLectura.com

Fonética

Sílabas con *r*

Sonidos y sílabas que puedo combinar

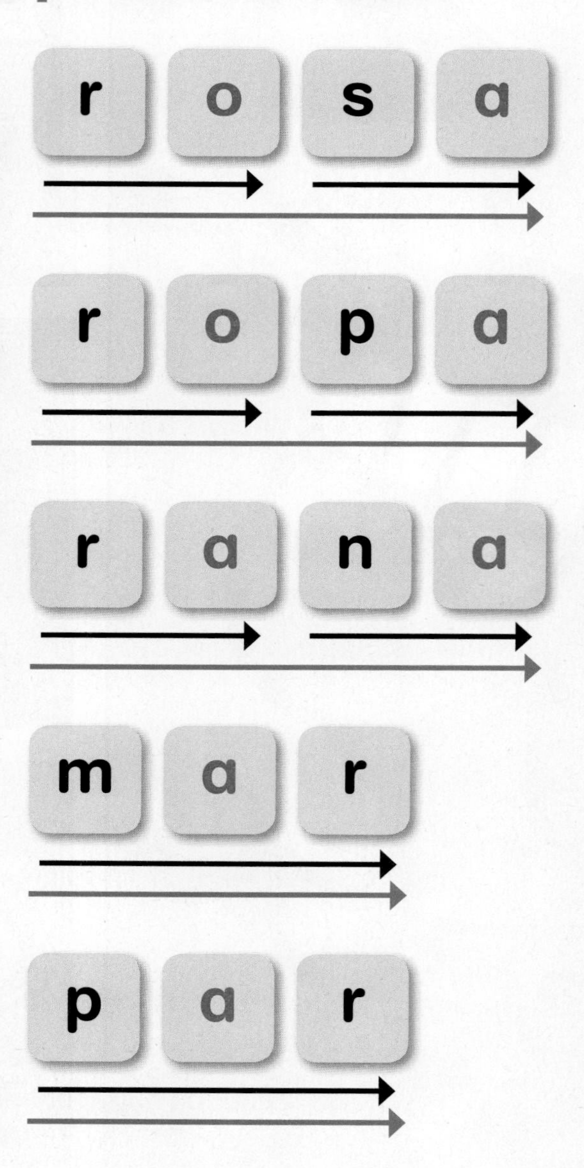

Palabras de uso frecuente

Palabras que puedo leer

su

Oraciones que puedo leer

1. Dame un par de rosas.
2. Rosita rema en el mar.
3. Ramona se pone su ropa.

TEKS
K.3.C.3 Usar el conocimiento fonológico para emparejar sonidos con sílabas, incluyendo consonantes fuertes. **K.3.H.3** Utilizar el conocimiento de las relaciones entre las consonantes y las vocales para decodificar palabras de un texto. **También, K.3.C.1, K.5.B**

Fonética

¡Ya puedo leer!

Librito de fonética

- **Sílabas con *r***
  - Irma
  - rama
  - ríe
  - ríen
  - Rita
  - rosa
  - rota
- **Palabras de uso frecuente**
  - de
  - la
  - me
  - mi
  - mira
  - no
  - su
- Lee el cuento.

CALLE DE LA LECTURA EN LÍNEA
LIBRITOS ELECTRÓNICOS DE FONÉTICA
www.TexasCalledelaLectura.com

Librito de fonética 16

La risa de Rita

por Leda Schiavo

Rita toma una rosa de su rosal y se ríe.

Irma y Rita ríen.
Ríen, ríen, ríen.

—Irma, mira la rosa de mi rosal.

—Tía Rita, no me des la rosa.

—La rama está rota.

—Ay, la rosa está rota.

Pena, penita, pena.
Irma y Rita no ríen.

TEKS

K.6.A.3 Identificar los aspectos de un cuento, incluyendo los sucesos clave. **K.8.A.1** Volver a contar un suceso de un cuento leído en voz alta. **K.CL1.E.2** Representar sucesos importantes de los cuentos. **K.CL1.F.1** Hacer conexiones con las propias experiencias.

¡Imagínalo! Volver a contar

Libro

1

3

5

CALLE DE LA LECTURA EN LÍNEA
ORDENACUENTOS
www.TexasCalledelaLectura.com

Piensa, habla y escribe

1. ¿Qué animal crece como creces tú? **El texto y el mundo**

2.

Principio	
Medio	
Final	

Escoge una parte importante del cuento. Represéntala con compañeros.

Elementos literarios: Argumento

3. Mira de nuevo y escribe.

TEKS
K.21.A Escuchar atentamente, mirando al hablante y formulando preguntas para aclarar la información.
K.22 Comentar información e ideas hablando de manera audible y clara, usando las normas del lenguaje.

¡Aprendamos!

Vocabulario

- ● Habla de las ilustraciones.
- ■ Muestra que estás alegre.
- ▲ ¿Cuándo te sientes triste?
- ★ Muestra que estás entusiasmado.
- ♥ ¿Cuándo te sientes sorprendido?

Escuchar y hablar

- ● Cuenta cómo has crecido.

Vocabulario

Emociones

feliz

triste

entusiasmada

sorprendida

Escuchar y hablar

Presentación oral

¡Sé un buen oyente!

TEKS

K.6.A.3 Identificar los aspectos de un cuento, incluyendo los sucesos clave. **K.6.B** Comentar la idea principal (el tema) de un cuento folclórico popular o de una fábula popular y relacionarla con su experiencia personal. **K.8.A.1** Volver a contar un suceso de un cuento leído en voz alta. **K.CL1.B.2** Responder a preguntas sobre un texto.

¡Practícalo!

1

Fábula

- ● Escucha la fábula.
- ■ ¿Qué problema tienen los ratones?
- ▲ ¿Qué se le ocurre al ratoncito?
- ★ ¿Qué dice el ratón mayor sobre la idea del ratoncito?
- ♥ ¿Qué nos enseña la fábula?

El cascabel del gato

TEKS
K.2.B.1 Identificar las sílabas en las palabras habladas. **K.2.G.1** Aislar el sonido silábico inicial en las palabras habladas.

Conciencia fonológica

Escuchemos

Leamos juntos

Sílabas

- ● Di: "gallo". Da una palmada por cada sílaba que oigas. ¿Cuántas palmadas diste?
- ■ Di: "gafas", "galletas". ¿Con qué sílaba empiezan estas palabras?
- ▲ Busca el lago. Di: "lago". ¿Con qué sílaba termina *lago*?
- ★ Busca una cosa de tomar que termine como *lago*.

CALLE DE LA LECTURA EN LÍNEA
VIDEO DE LA PREGUNTA PRINCIPAL
www.TexasCalledelaLectura.com

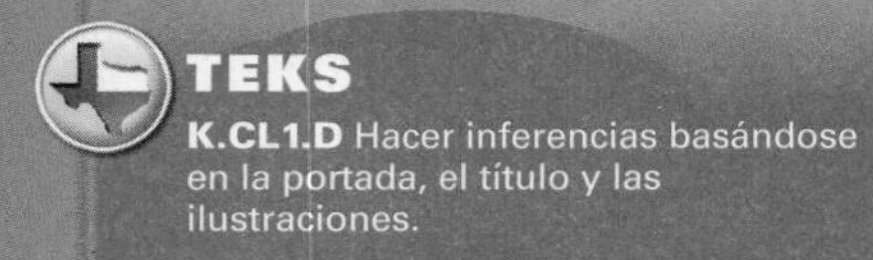

TEKS
K.CL1.D Hacer inferencias basándose en la portada, el título y las ilustraciones.

Comprensión

¡Imagínalo!

Sacar conclusiones

CALLE DE LA LECTURA EN LÍNEA
ANIMACIONES DE ¡IMAGÍNALO!
www.TexasCalledelaLectura.com

Feliz

Feliz

Feliz

TEKS
K.3.B.1 Decodificar sílabas. **K.3.C.4** Usar el conocimiento fonológico para emparejar sonidos con sílabas, incluyendo consonantes suaves. **K.3.H** Utilizar el conocimiento de las relaciones entre las consonantes y las vocales para decodificar sílabas y palabras de un texto y las que no dependan de un contenido. **También** K.5.B, K.18.B, K.3.C.2.

¡Imagínalo! | Sonidos y sílabas

CALLE DE LA LECTURA EN LÍNEA
TARJETAS DEL ALFABETO
www.TexasCalledelaLectura.com

Fonética

Sílabas *ga, go, gu*

Sonidos y sílabas que puedo combinar

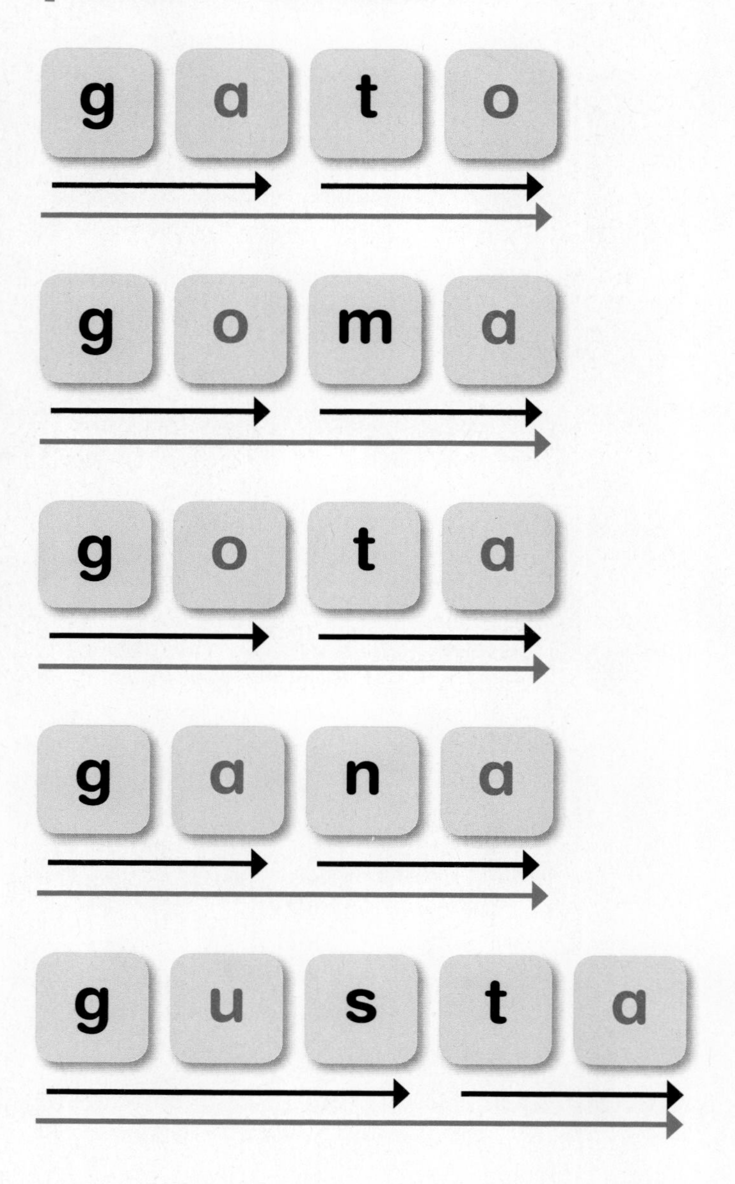

Palabras de uso frecuente

Palabras que puedo leer

en

Oraciones que puedo leer

1. El gusano camina en la rama.
2. El gato es goloso.
3. Me gusta la goma de Guti.

TEKS
K.3.C.4 Usar el conocimiento fonológico para emparejar sonidos con sílabas, incluyendo consonantes suaves. **K.3.H.3** Utilizar el conocimiento de las relaciones entre las consonantes y las vocales para decodificar palabras de un texto. **K.5.B** Familiarizarse con el vocabulario adecuado al nivel del grado, incluyendo palabras de contenido y funcionales.

Fonética

¡Ya puedo leer!

Librito de fonética

- **Sílabas *ga, go, gu***
  bigotes
  Gabito
  ganamos
  gato
  goma
  lago
  pega
  regalo
- **Palabras de uso frecuente**
  de
  el
  en
  es
  la
  mi
  mira
  su
- Lee el cuento.

CALLE DE LA LECTURA EN LÍNEA
LIBRITOS ELECTRÓNICOS DE FONÉTICA
www.TexasCalledelaLectura.com

El gato Gabito

por Leda Schiavo

Gabito es mi gato.

Mi gato Gabito tiene bigotes.

Le regalo una pelota de goma.

Mi gato Gabito mira su pelota de goma.

El gato le pega
una patada a la pelota.

La pelota cae en el lago.

¡Gol! ¡Ganamos!

TEKS

K.10.B.1 Volver a contar los hechos en un texto, después de escucharlo o leerlo. **K.CL1.F.3** Hacer conexiones con la comunidad más grande.

¡Imagínalo! Volver a contar

Superlibro

1

2

3

4

5

6

CALLE DE LA LECTURA EN LÍNEA
ORDENACUENTOS
www.TexasCalledelaLectura.com

Piensa, habla y escribe

1. ¿Cómo han cambiado los juegos? **El texto y el mundo**

2. ¿Cómo sería nuestra vida si todavía usáramos estas cosas? **Sacar conclusiones**

3. Mira de nuevo y escribe.

TEKS

K.22 Comentar información e ideas hablando de manera audible y clara, usando las normas del lenguaje. **K.23.A.1** Seguir normas conversacionales, incluyendo hablar cuando le toque el turno.

¡Aprendamos!

Vocabulario

- ● Habla de las ilustraciones.
- ■ Busca cosas nuevas y cosas viejas.
- ▲ Habla de algo que sea rápido.
- ★ Habla de algo que sea lento.

Escuchar y hablar

- ● Deja un mensaje para una amiga.
- ■ Di de quién y para quién es el mensaje.

Vocabulario

Contrarios

nuevos

viejos

rápido

lento

Escuchar y hablar

Mensajes y cartas

¡Habla con claridad!

TEKS

K.6.B Comentar la idea principal (el tema) de un cuento folclórico popular o de una fábula popular y relacionarla con su experiencia personal. **K.6.D.6** Reconocer personajes recurrentes en cuentos folclóricos tradicionales de diferentes culturas. **K.CL1.F.4** Comentar evidencia del texto.

El coyote y el fuego

1

¡Practícalo!

Cuento folclórico

- Escucha el cuento folclórico.
- El cuento explica dos cosas. ¿Cuáles son?
- ¿Qué podemos aprender del comportamiento del coyote?
- En muchos cuentos folclóricos indígenas de nuestro país sale el coyote. ¿Por qué será?

2

TEKS
K.2.G.1 Aislar el sonido silábico inicial en las palabras habladas. También, K.3.F.1

Conciencia fonológica

Escuchemos

Leamos juntos

Sílabas

● Di: "chile", "chivos". ¿Con qué sílaba empiezan estas palabras?

■ Busca la leche. Di: "leche". ¿Con qué sílaba termina leche?

▲ Busca dos prendas de vestir que empiecen con la sílaba *cha*.

★ Busca una cosa de comer que empiece con la sílaba *chu*.

♥ ¿Con qué sonido empiezan las palabras "chile" y "chivos"?

CALLE DE LA LECTURA EN LÍNEA
VIDEO DE LA PREGUNTA PRINCIPAL
www.TexasCalledelaLectura.com

8¢

TEKS
K.6.B.2 Comentar la idea principal (el tema) de una fábula popular.

Comprensión

¡Imagínalo!

Idea principal

CALLE DE LA LECTURA EN LÍNEA
ANIMACIONES DE ¡IMAGÍNALO!
www.TexasCalledelaLectura.com

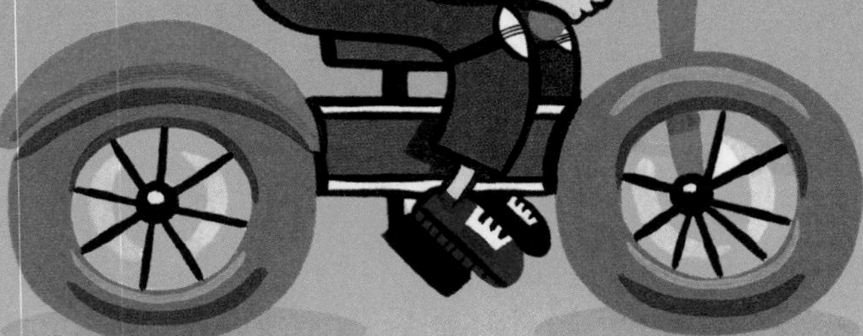

TEKS
K.3.B.1 Decodificar sílabas. **K.3.F.1** Familiarizarse con el dígrafo consonántico /ch/. **K.3.H** Utilizar el conocimiento de las relaciones entre las consonantes y las vocales para decodificar sílabas y palabras de un texto y las que no dependan de un contenido. **También K.5.B, K.18.B**

CALLE DE LA LECTURA EN LÍNEA
TARJETAS DEL ALFABETO
www.TexasCalledelaLectura.com

Fonética

Sílabas con *ch*

Sonidos y sílabas que puedo combinar

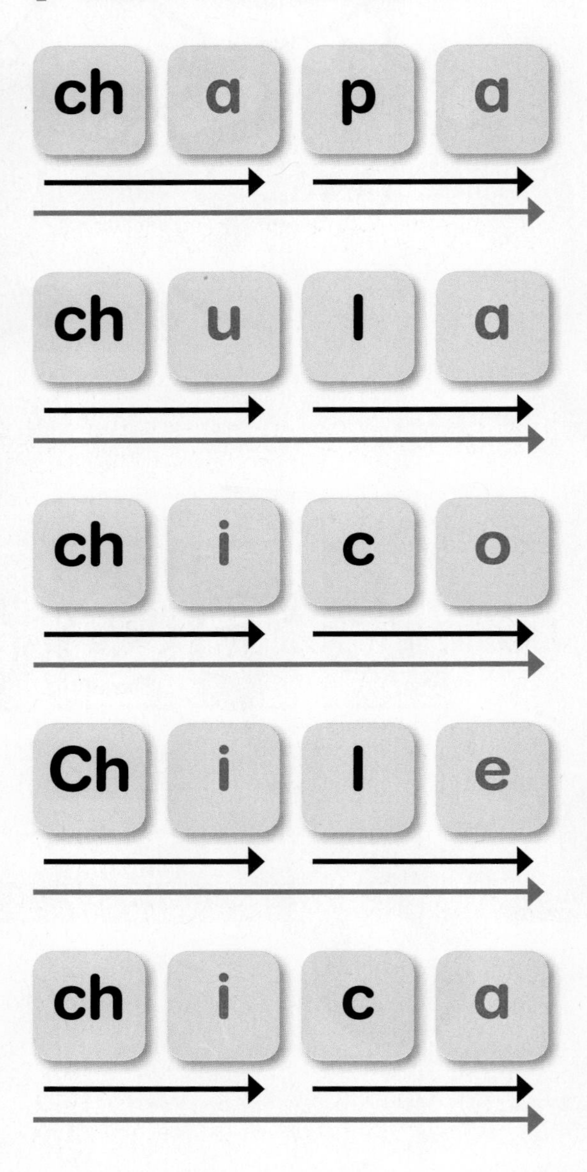

Palabras que puedo leer

dijo

Oraciones que puedo leer

1. Me gusta tomar chocolate.
2. Ese chaleco es de Chepita.
3. La chica dijo: "Mira el chango".

TEKS
K.3.F.1 Familiarizarse con el dígrafo consonántico /ch/. **K.3.H.3** Utilizar el conocimiento de las relaciones entre las consonantes y las vocales para decodificar palabras de un texto. **K.5.B** Familiarizarse con el vocabulario adecuado al nivel del grado, incluyendo palabras de contenido y funcionales.

Fonética

¡Ya puedo leer!

Librito de fonética

- **Sílabas con *ch***
  Chabela
  chachachá
  chamarra
  chica
  chocolate
  chula
  dichosa
  leche
  mucha
  muchacha
  noche
- **Palabras de uso frecuente**
  de
  es
  mi
- Lee el cuento.

CALLE DE LA LECTURA EN LÍNEA
LIBRITOS ELECTRÓNICOS DE FONÉTICA
www.TexasCalledelaLectura.com

Librito de fonética 18

La chica Chabela

por Carmen Pardo

Mi amiga Chabela es
una muchacha chistosa.

De noche, Chabela toma chocolate

con mucha leche.

Chabela tiene una chamarra chula.

Mi amiga Chabela es
una chica dichosa.

Chabela baila chachachá.

Mi amiga Chabela tiene
mucha chispa.

TEKS

K.6.B Comentar la idea principal (el tema) de un cuento folclórico popular o de una fábula popular y relacionarla con su experiencia personal. **K.8.A.1** Volver a contar un suceso de un cuento leído en voz alta.

¡Imagínalo! Volver a contar

Libro

CALLE DE LA LECTURA EN LÍNEA
ORDENACUENTOS
www.TexasCalledelaLectura.com

Piensa, habla y escribe

1. ¿Cómo ayuda la ratona al león? **El texto y el mundo**

2. ¿Qué enseña este cuento?

Idea principal

3. Mira de nuevo y escribe.

TEKS
K.5.D Identificar y clasificar dibujos de objetos en categorías conceptuales. **K.16.B.1** Hablar usando oraciones completas para comunicarse. **K.23.A.1** Seguir normas conversacionales, incluyendo hablar cuando le toque el turno.

¡Aprendamos!

Vocabulario

- ● Habla de las ilustraciones.
- ■ Nombra cosas duras y cosas blandas que veas a tu alrededor.
- ▲ Nombra cosas lisas.
- ★ Nombra cosas ásperas.

Escuchar y hablar

- ● Haz una pregunta sobre una tarjeta.
- ■ Contesta en una oración completa.

Vocabulario

Texturas

Escuchar y hablar

Preguntas y respuestas

¡Sé un buen oyente!

Los leones

TEKS

K.10.A Identificar el tema y los detalles en un texto expositivo, después de escucharlo o leerlo, haciendo referencia a las palabras y/o ilustraciones. **K.10.B.1** Volver a contar los hechos en un texto, después de escucharlo o leerlo. **K.10.D.** Usar títulos e ilustraciones para hacer predicciones sobre un texto. **K.16.A.1.i.c** Comprender y utilizar los verbos (incluyendo los tiempos futuros al hablar) en el contexto de la lectura, la expresión escrita y el habla.

¡Practícalo!

Texto expositivo

- Mira el título y las ilustraciones. ¿De qué tratará la selección? ¿Qué pasará después en la ilustración número 3?
- Escucha la selección.
- ¿Cómo se alimentan los leones?
- ¿Qué les sirve a los leones para cazar?
- ¿Por qué leemos selecciones como ésta?

1

2

3

4

Medios de transporte

avión

bicicleta

camión

carro

autobús

camioneta

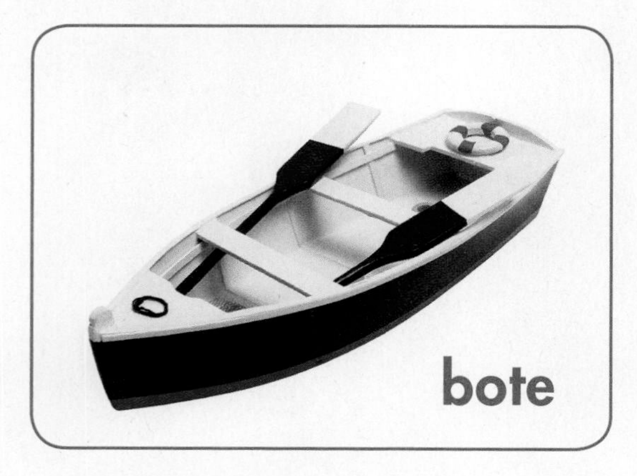
bote

tren

Colores

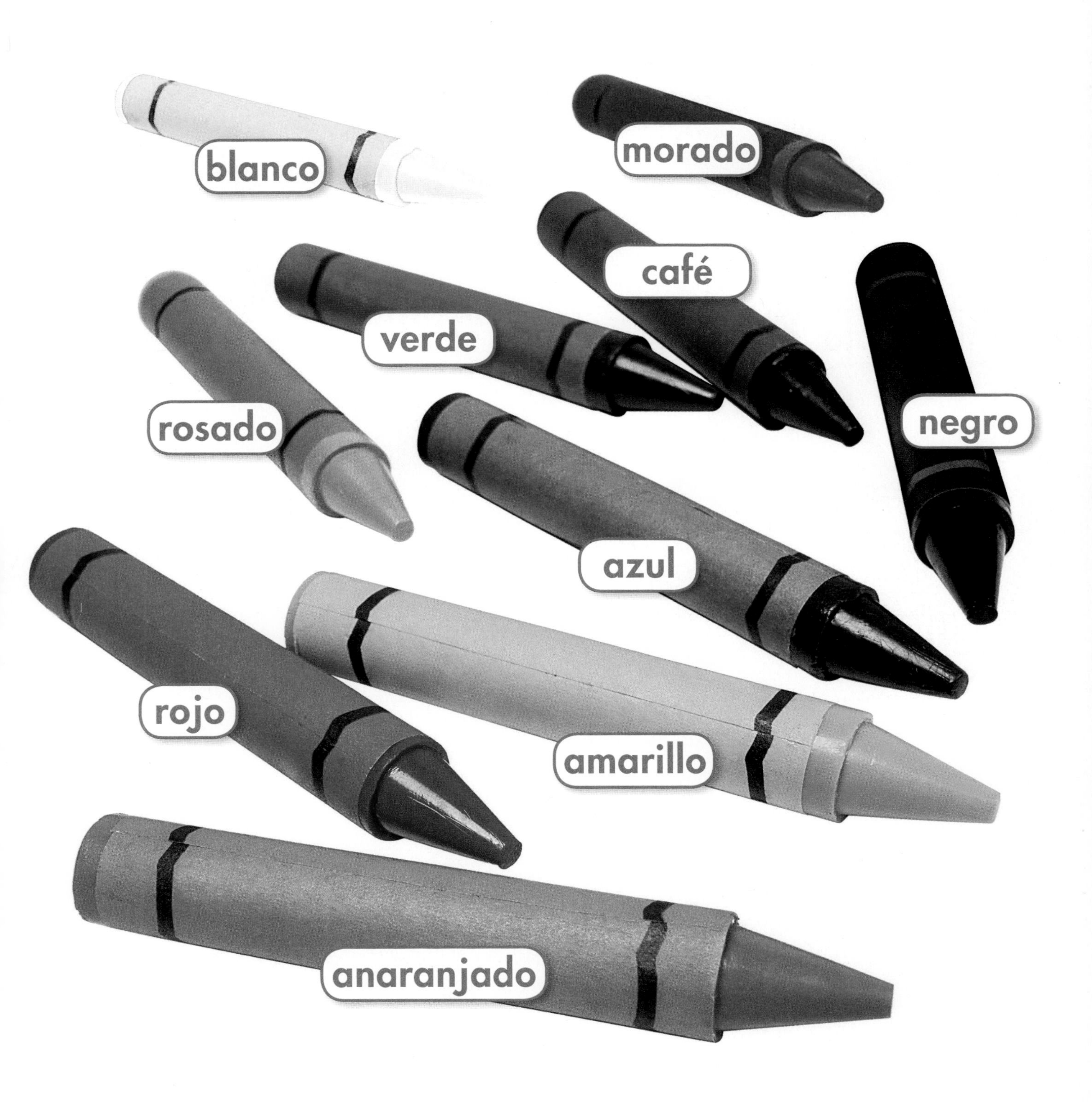

blanco
morado
café
verde
negro
rosado
azul
rojo
amarillo
anaranjado

Figuras

cuadrado

círculo

triángulo

rectángulo

corazón

estrella

óvalo

diamante

Lugares

escuela

casa

parque

estación de tren

estación de policía

estación de bomberos

oficina de correos

biblioteca

Animales

león
ratón
cachorro
perro
gato
pato
tortuga
gatito
pollito
gallina
gallo
pájaro

pez
ballena
mariposa
oso
panda
oruga
castor
ternero
vaca

Acciones

Posición

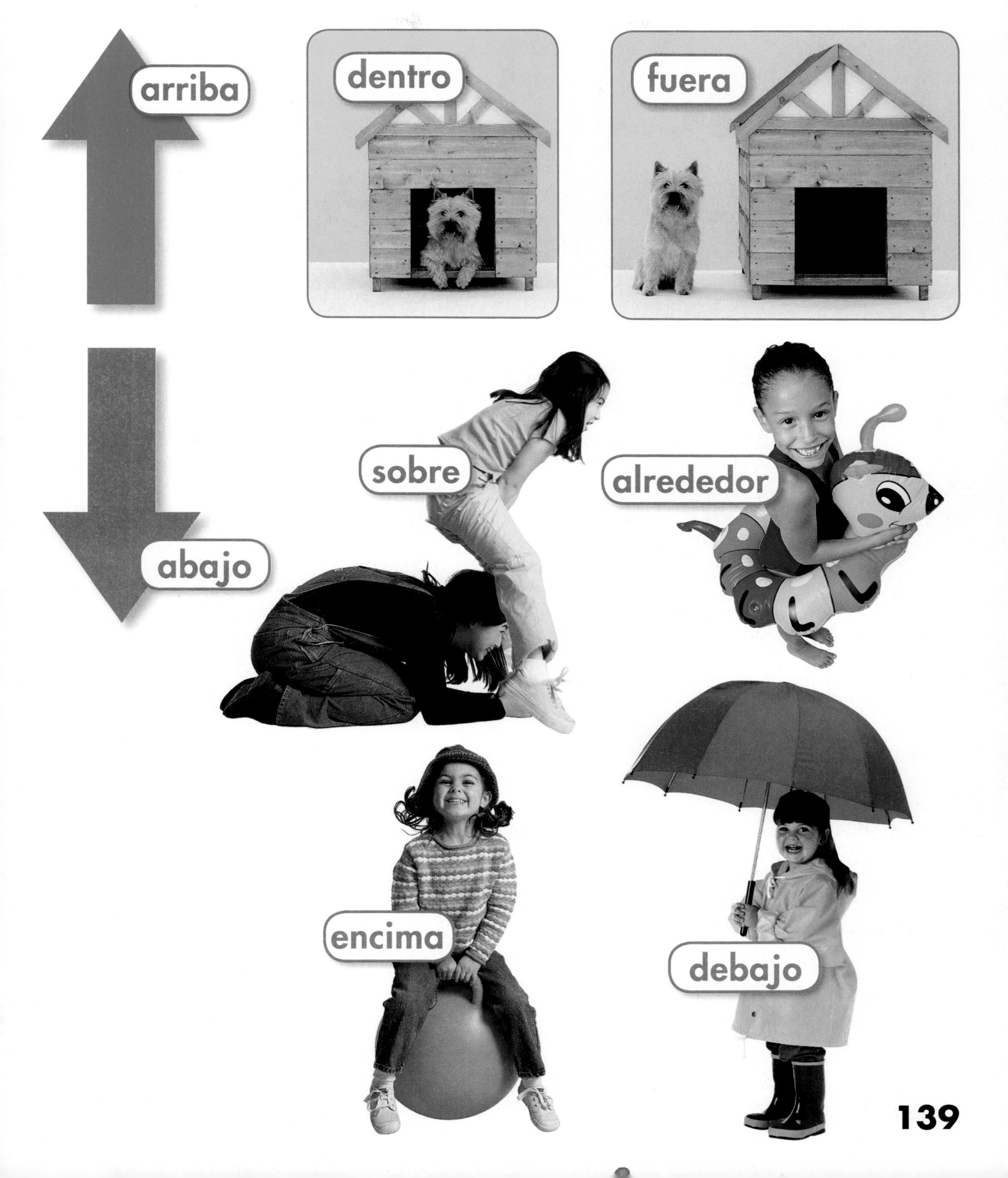

Mi clase

librero
caballete
libros
escritorio
marcadores
creyones
lápices

maestra

juguetes

papel

silla

bloques

mesa

tapete

Emociones

feliz

asustado

preocupado

entusiasmada

enojado

orgullosa

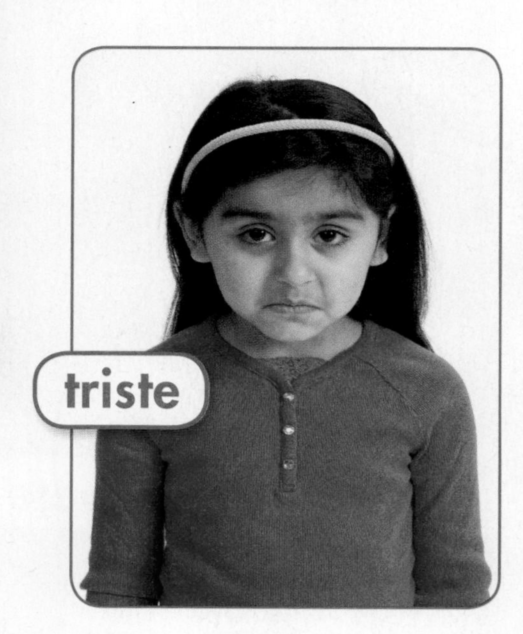
triste

sorprendida

Mi familia

Illustrations

Cover: Rob Hefferan
12 David Austin Clar
19-25, 119-125 Colleen Madden
28, 68, 88, 108-109, 112 Mick Reid
30 Hiroe Nakata
32 Sarah Dillard
39-45 Daniel Griffo
52 Mike Wesley
59-65 Eldon Doty
69 George Ulrich
72 Susan Cornelison
79-85 Paul Eric Roca
92 Margeaux Lucas
99-105 Stephen Lewis.

The *Texas Essential Knowledge and Skills for Spanish Language Arts and Reading* reproduced by permission, Texas Education Agency, 1701 N. Congress Avenue, Austin, TX 78701.

Photographs

Every effort has been made to secure permission and provide appropriate credit for photographic material. The publisher deeply regrets any omission and pledges to correct errors called to its attention in subsequent editions.

Unless otherwise acknowledged, all photographs are the property of Pearson Education, Inc.

Photo locators denoted as follows: Top (T), Center (C), Bottom (B), Left (L), Right (R), Background (Bkgd)

10 ©Steve Bloom Images/Jupiter Images

48 ©Chuck Franklin/Alamy Images, ©Hal Beral/Corbis, ©Mika/zefa/Corbis, Jupiter Images

49 ©Bill Frymire/Masterfile Corporation, ©Chuck Franklin/Alamy Images, ©Michael Newman/PhotoEdit, Inc.

89 ©Phil Savoie/Nature Picture Library, ©Philippe Clement/Nature Picture Library

128 ©Visuals Unlimited/Corbis, Corbis, ©Mike Dunning/©DK Images

130 ©Roderick Edwards/Animals Animals/Earth Scenes

131 (B) ©ABPL/Clem Haagner/Animals Animals/Earth Scenes, (TR) ©Peter Weimann/Animals Animals/Earth Scenes, (TL) ©Michael Fogden/Animals Animals/Earth Scenes

132 (CR) ©Basement Stock/Alamy, (TR, TL, TC, BL) Getty Images

133 (B) Getty Images

135 (BR) ©Andersen Ross/Getty Images, (BCL) ©Guillen Photography/Alamy Images, (BCR) ©Kinn Deacon/Alamy Images, (TCR) ©Photos to Go/Photolibrary

136 (TC, BCL) Getty Images

137 (BL) Getty Images

138 (TR) ©Rubberball Productions, (BC) ©Photos to Go/Photolibrary, (TC) ©Steve Shott/©DK Images

139 (TR, TC) ©Max Oppenheim/Getty Images, (CR, BR) Getty Images, (C, BL) ©Rubberball Productions

142 (CR) ©Ellen B. Senisi, (BL) ©Simon Marcus/Corbis, (TR, TL) Getty Images, (TC) Jupiter Images, (C) ©Photos to Go/Photolibrary, (BR) ©Rubberball Productions.